CAHIER D'EXERCICES

Third Edition

FRENCH IS FUN

Book 1

Gail Stein

Foreign Language Department
Martin Van Buren High School
New York City

Heywood Wald, Ph.D.

Former Assistant Principal
Foreign Language Department
Martin Van Buren High School
New York City

AMSCO

AMSCO SCHOOL PUBLICATIONS, INC.
315 Hudson Street, New York, N.Y. 10013

PREFACE

This CAHIER D'EXERCICES supplements the practice materials in FRENCH IS FUN, BOOK 1, THIRD EDITION. The vocabulary and structural elements are closely coordinated with parallel chapters in the textbook.

While some exercises use techniques similar to those in the basal text, others extend the range of the materials. The workbook format provides opportunity for writing practice and intensive homework.

The pages are perforated to permit the collection of home or class assignments.

Cover and text design by Merrill Haber

Cover illustration by Susan Detrich/Stock Illustration Source

Illustrations by Edward Malsberg/Noel Malsberg

Electronic composition by Northeastern Graphic Services, Inc.

Please visit ourWeb site at: **www.amscopub.com**

When ordering this book, please specify *either*
R 690 W *or* CAHIER, FRENCH IS FUN, BOOK 1, 3rd Edition

ISBN: 1-56765-319-7
NYC Item: 56765-319-6

Contents

Leçon 1

A. What can you see in Marie-Claire's room besides the furniture?

1. _____   6. _____

2. _____   7. _____

3. _____   8. _____

4. _____   9. _____

5. _____   10. _____

B. Today you went to see a movie with a friend. List four adjectives that could describe the movie.

1. _____   3. _____

2. _____   4. _____

1

C. The Maréchals are tourists in your city. Identify the places they saw.

1. _____

2. _____

3. _____

4. _____

5. _____

6. _____

7. _____

8. _____

9. _____   10. _____

D. Identify what you like (**j'aime**) or don't like (**je n'aime pas**) and place **le, la,** or **l'** before the nouns listed below.

cinéma	musique rock	école
télévision	leçon	professeur
docteur	danse	sport

1. _____

2. _____

3. _____

4. _____

5. _____

6. _____

7. _____

8. _____

9. _____

E. Give your opinion of each item by choosing from the list of adjectives given.

intelligent	nécessaire	confortable
excellent	délicieux	américain
populaire	horrible	élégant

1. Le fruit est _____

2. Le menu est _____

3. Le pull-over est _____

    4. L'accident est _____

    5. Le programme est _____

    6. L'appartement est _____

    7. L'acteur est_____

    8. Le vocabulaire est _____

    9. Le président est _____

F. Roland works at the flea market. He has to change all the signs to show that more than one of each item is being sold. Write the changes that he will have to make.

    EXAMPLE: la table   **les tables**

    1. la blouse_____

    2. l'animal _____

    3. l'automobile _____

    4. le fruit _____

    5. le stylo _____

    6. le journal _____

    7. le bureau _____

    8. la télévision _____

G. Look at each picture and tell how you feel about the thing(s) depicted.

    J'adore *(I love)*   **Je n'aime pas** *(I don't like)*
    J'aime *(I like)*   **Je déteste** *(I detest)*

EXAMPLES:

    J'aime l'école.   **Je n'aime pas les chiens.**

1. _____

2. _____

3. _____

4. _____

5. _____

6. _____

7. _____

8. _____

LA VIE PRATIQUE

Select the best answer to the question based on what you read and write its number in the space provided.

What's missing from this list of French achievements?   _____

    1. fashion
    2. cars
    3. computers
    4. perfumes

Leçon 2

A. It is Pierre's first day of school. Identify what he is looking at.

EXAMPLE: **Il regarde** *(He is looking at)* **le bureau.**

1. _____

2. _____

3. _____

4. _____

5. _____

6. _____

7. _____

8. _____

9. _____

10. _____

B. Describe the subjects using one of the following adjectives.

drôle	**sympathique**	**difficile**
intéressant	**grand**	**noir**
moderne		**immense**

1. L'élève est _____.

2. Le dictionnaire est _____.

3. Le professeur est _____.

4. Le livre est _____.

5. Le tableau est _____.

6. L'exercice est _____.

7. Le bureau est _____.

8. Le crayon est _____.

C. Write a list of six things you always have in your school bag.

1. _____   **4.** _____

2. _____   **5.** _____

3. _____   **6.** _____

D. There are 16 school-related items hidden in the puzzle. Circle the words from left to right, right to left, up or down, or diagonally.

D	C	B	U	A	C	B	U	R	E	A	U
E	I	Y	R	C	R	A	Y	O	N	N	O
E	L	C	E	F	P	R	H	R	C	E	E
É	Y	S	T	T	E	D	E	I	R	L	C
L	T	O	T	I	D	L	P	T	E	E	T
È	V	U	P	Y	O	R	Ê	A	B	R	A
V	D	A	D	C	L	N	O	N	L	E	B
E	P	P	É	I	E	O	N	A	I	B	L
U	B	V	O	F	A	G	E	A	F	E	E
L	L	I	V	R	E	N	R	T	I	R	A
R	È	G	L	E	T	C	T	V	E	R	U
A	R	U	E	S	S	E	F	O	R	P	E

E. Express what classes these students attend.

EXAMPLE: **la classe de maths.**

1. _____

2. _____

3. _____

4. _____

5. _____

6. _____

7. _____

8. _____

F. Match the command with the picture.

Écoutez	Ouvrez le livre!
Fermez le livre!	Écrivez!
Levez la main!	Corrigez l'exercice!
Lisez!	Asseyez-vous!

1. _____

2. _____

3. _____

4. _____

5. _____

6. _____

7. _____

8. _____

G. Supply the correct indefinite article (**un, une,** or **des**) as you identify who or what you see while walking in the city.

1. _____ animaux

2. _____ restaurant

3. _____ artistes

4. _____ maison

5. _____ boutique

6. _____ jardins

7. _____ parc

8. _____ cafés

9. _____ hôtel

10. _____ cinéma

11. _____ vendeurs

12. _____ automobiles

H. Janine is looking in an old trunk in the attic. Write what she finds.

EXAMPLE: **Elle trouve** *(She finds)* **une télévision.**

1. _____

2. _____

3. _____

4. _____

5. _____

6. _____

7. _____

8. _____

9. _____

10. _____

11. _____

12. _____

13. _____

14. _____

15. _____

LA VIE PRATIQUE

Select the best answer to the question based on what you read and write its number in the space provided.

ECOLE UNIVERS DES ENFANTS
Institution privée d'enseignement
préscolaire et primaire.
– Bonne formation en langues arabe,
française et anglaise, et en informatique.
– Une bonne équipe pédagogique,
effectifs limités permettant un
encadrement efficace et un suivi
personnalisé.

What will the students in this school learn?   _____

1. Italian
2. Advanced Mathematics
3. Computer Science
4. Geography

Leçon 3

A. Express in dollars how much it costs to do each of the following activities.

EXAMPLE: go to the movies ($6.00)   **Ça coûte six dollars.**

1. buy a slice of pizza ($2.00)   _____

2. buy a hamburger and fries ($5.00)_____

3. rent a video ($3.00)_____

4. buy two ice cream cones ($4.00)   _____

5. go to an amusement park ($17.00)_____

6. buy a compact disk ($12.00)   _____

7. buy three comic books ($8.00)   _____

8. play ten video games ($5.00) _____

B. Express how many people there are in each family.

EXAMPLE: Les Dupont/17   **Il y a dix-sept personnes.**

1. Les Martin/15_____

2. Les Caron/24 _____

3. Les Lesage/9 _____

4. Les Renoir/13_____

5. Les Dubois/16 _____

6. Les Ricard/3 _____

C. Write the problems from Josette's math book and answer them in French.

EXAMPLE: $10 + 3 =$ **Dix et trois font treize.**

1. $12 + 2 =$ _____

2. $30 - 9 =$ _____

3. $20 \div 4 =$ _____

4. $3 \times 8 =$ _____

5. $6 + 5 =$ _____

6. $15 \div 5 =$ _____

7. $27 - 8 =$ _____

8. $7 \times 2 =$ _____

D. Write these French phone numbers in French.

1. 01.45.13.49.24 _____

2. 04.48.68.81.92 _____

3. 02.47.36.16.57 _____

4. 06.43.75.18.89 _____

5. 01.46.41.91.26 _____

6. 02.40.33.67.79 _____

7. 05.42.52.99.74 _____

8. 03.49.80.01.44 _____

E. Write out in French how far each student lives from Paris.

EXAMPLE: Nancy/27 km.   **vingt-sept kilomètres**

1. Julien/39 km. _____

2. Sylvie/67 km. _____

3. André/90 km. _____

4. Renée/43 km. _____

5. Robert/51 km. _____

6. Lise/83 km. _____

7. Roger/100 km. _____

8. Claire/77 km. _____

F. A French radio announcer is reading off the numbers of the following winning tickets. Write them in French.

1.
LOTERIE NATIONALE
10   33   54
_____
_____
_____

2.
LOTERIE NATIONALE
17   96   81
_____
_____
_____

3.
LOTERIE NATIONALE
75   20   66
_____
_____
_____

4.
LOTERIE NATIONALE
41   90   50
_____
_____
_____

5.
LOTERIE NATIONALE
15   25   79
_____
_____
_____

6.

```
╔═══════════════════════╗
║  LOTERIE NATIONALE    ║
║  88      39      12   ║
╚═══════════════════════╝
```

_____

_____

_____

G. Write in French how much each person earns per day.

EXAMPLE: Marie/100   **Marie gagne cent euros par jour.**

1. Christian/66 _____

2. Denise/96 _____

3. Philippe/72 _____

4. Rachel/54 _____

5. Simon/98 _____

6. Charline/84 _____

H. Write a list of the last five things you bought and their prices in French.

1. _____

2. _____

3. _____

4. _____

5. _____

I. Antoine is a teller in a French bank. Express how he would write these dollar amounts the French way.

EXAMPLE: $2,358.22   **2.358,22 dollars**

1. $1,746.70 _____

2. $50,800.62 _____

3. $388,217.15 _____

4. $1,525,682.38 _____

J. Label the cost of the following school supplies.

EXAMPLE: **cinq dollars**

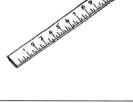

1. _____   2. _____

3. _____   4. _____

5. _____   6. _____

K. You are going to buy school supplies. Write a note in French to a friend. Use numbers to explain what you need.

EXAMPLE: **Il me faut** *(I need)* **deux cahiers.**

_____

_____

_____

_____

LA VIE PRATIQUE

Select the best answer to the question based on what you read and write its letter in the space provided.

Which book title contains the largest number?　　　　　　_____

    a. Blanche-Neige et les sept nains
    b. Mille et une nuits
    c. Vingt mille lieues sous les mers
    d. Cent un dalmatiens

Leçon 4

A. Roland has an important meeting with a friend. Every few minutes he asks his parents for the time. Write out their responses in French.

EXAMPLE: 7:15   **Il est sept heures et quart.**

1. 8:30 _____

2. 9:15 _____

3. 10:45 _____

4. 11:20 _____

5. 12:35 _____

6. 1:55 _____

7. 2:05 _____

8. 2:50 _____

B. It's the weekend. Write in French at what time each of these teens wakes up.

EXAMPLE: Anne/7:05   **à sept heures cinq**

1. Nathalie/6:55 _____

2. Roger/1:15 _____

3. Lisette/10:25 _____

4. Thierry/12:30 _____

5. Claudette/11:35 _____

6. Paul/8:45 _____

7. Liliane/9:10 _____

8. Georges/2:30 _____

C. Write out in French at what time you can see the following shows.

20.30   **Fletch aux trousses**

Film américain de Michael Ritchie
Durée: 1 h 35. Policier. Rediffusion le 13
octobre.

DISTRIBUTION: Chevy Chase, Joe Don
Baker.

L'HISTOIRE - Un riche homme d'affaires
propose un marché sordide à Fletch.

22.05   **Flash d'informations**

22.10   **Bobagolfoot**
«FOOTBALL»

Présenté par Pierre Sled. Réalisé par
Jérôme Revon. Produit par Charles Biétry.

*le match anglais de la semaine (10
mn)*Un match de championnat étranger
(10 mn)*Tous les buts de la deuxième
division et un match de deuxième division
(10 mn)*

22.40   **Boxe à Baltard**

Commentaires de Jean-Philippe Lustyk et
Jean-Claude Bouttier. Réalisé par Jean-
Paul Jaud.

Réunion internationale au pavillon Baltard
avec notamment: Limarola, Belbouli et
Fontana.

0.10   **Football américain**

(Rediffusion du 9 octobre)

1.05   **King Kong II**

Film américain de John Guillermin
Durée: 1 h 21. Aventures. Rediffusion le
11 octobre

DISTRIBUTION: Peter Elliot. Georges
Yiasomi.

L'HISTOIRE - Sorti de son coma à la
suite d'une opération, King Kong part à
la recherche d'un gorille femelle.

1. the news

_____

2. a police film

_____

3. a soccer match

_____

4. an adventure film

_____

5. a football game

_____

6. a boxing match

_____

D. Write a list of four television programs you watch during the week and at what time you watch them.

1. _____

2. _____

3. _____

4. _____

E. Look at this official French train schedule. Express the departure times in conventional forms.

NICE	.18h19
ANTIBES	.18h40
ST-TROPEZ	.19h25
CANNES	.19h58
TOULON	.20h46
MARSEILLE	.21h47
AVIGNON	.23h01
VALENCE	.0h08
PARIS	.0h25

EXAMPLE: Nice/18h19
Nice/à six heures dix-neuf

1. _____

2. _____

3. _____

4. _____

5. _____

6. _____

7. _____

8. _____

F. Express these times as official times.

EXAMPLE: 1:15 p.m.   **13h15**

1. 2.05 p.m. _____

2. 9:30 p.m. _____

3. 4:35 p.m. _____

4. 6:10 p.m. _____

5. 3:20 p.m. _____

6. 11:00 p.m. _____

7. 12:25 a.m. _____

8. 5:45 p.m. _____

9. 1:35 p.m. _____

10. 7:40 p.m. _____

11. 8:50 p.m. _____

12. 10:55 p.m. _____

LA VIE PRATIQUE

DINER
70 €

TOUT COMPRIS/*ALL INCLUDED*

DÎNER DE LUXE HABILLÉ
STRICT EXIGÉ
(*TIE AND JACKET COMPULSORY*)
ENFANTS DÉCONSEILLÉS
DÉPART TLJ À 20 H 30
DURÉE : 2 H 15
(du 15/11 au 15/3, fermé le lundi)
☎ **RÉSERVER** (impératif)

At what time do you return from this cruise? _____

1. At 8:30
2. At 2:15
3. At 10:45
4. At 9:00

Leçon 5

A. Match the verb with the noun that could be used to describe what happened at Lucien's party. Write the matching letters in the space provided.

1. goûter   _____

2. regarder   _____

3. écouter   _____

4. chanter   _____

5. danser   _____

6. jouer   _____

7. gagner   _____

8. parler   _____

a. des CD
b. le disco
c. un prix (*a prize*)
d. le dessert
e. «Joyeux anniversaire»
   (*Happy Birthday*)
f. français
g. dans le jardin
h. un film

B. Write the pronoun you would use (**tu** or **vous**) if you were speaking to these people.

1. un enfant   _____

2. le père de Richard   _____

3. Valérie et André   _____

4. le président   _____

5. Georges   _____

6. ta (*your*) sœur   _____

C. Write the pronoun you could use to substitute for each noun.

   1. Hélène _____

   2. Michel et Éric _____

   3. Lisette et Jacques _____

   4. Mme Restaud _____

   5. Paul _____

   6. les docteurs _____

   7. le livre _____

   8. la porte et la fenêtre _____

   9. la craie _____

   10. les dictionnaires _____

D. Fill in the correct form of a verb that makes sense in the sentence, choosing from the following list.

aimer	donner	fermer	inviter	préparer
arriver	entrer	habiter	penser	trouver

   1. Tu _____ dans la classe.

   2. Le professeur _____ la fenêtre.

   3. René _____ le dictionnaire à Roland.

   4. Georgette _____ beaucoup Paul.

   5. Les élèves _____ à l'école.

   6. Alain _____ ses (*his*) amis à une surprise-partie.

   7. J' _____ New York.

   8. Nous _____ la mousse.

   9. Vous _____ le livre.

   10. Elles _____ à (*about*) l'examen.

E. Write what these people do in their spare time.

EXAMPLE: Je/écouter la radio.   **J'écoute la radio.**

1. André/travailler à son (*his*) auto

_____

2. Je/regarder la télévision

_____

3. Alice et Sylvie/écouter des disques

_____

4. Tu/préparer un dessert délicieux

_____

5. Ils/chanter

_____

6. Nous/jouer au football

_____

7. Vous/danser à la discothèque

_____

8. Elles/marcher dans le parc

_____

9. Il/penser à son amie

_____

10. Elle/parler au téléphone

_____

11. Catherine/jouer du piano

_____

12. Nous/regarder des films

_____

F. Write a list of five things you do in your spare time.

1. _____

2. _____

3. _____

4. _____

5. _____

G. Your friend Marie tells you what she does and asks if you do the same. Give a negative answer to her questions.

EXAMPLE: Je joue au tennis. Et toi *(and you)?*
Je ne joue pas au tennis.

1. J'habite un appartement. Et toi?

_____

2. J'aime le golf. Et toi?

_____

3. J'arrive à l'école en retard *(late)*. Et toi?

_____

4. Je gagne beaucoup d'argent *(money)*. Et toi?

_____

5. Je travaille après *(after)* l'école. Et toi?

_____

6. Je parle italien. Et toi?

_____

H. Write what some students in your class don't do.

EXAMPLE: Jean/penser à l'école
Jean ne pense pas à l'école.

1. André/danser bien

   _____

2. les filles/chanter beaucoup

   _____

3. nous/inviter le professeur au cinéma

   _____

4. Luc et Paul/parler souvent au téléphone

   _____

5. Anne/jouer au tennis

   _____

6. je/préparer le dîner

   _____

7. elle/travailler dur (*hard*)

   _____

8. tu/écouter la musique rock

   _____

9. vous/regarder les programmes de sport

   _____

10. les garçons/marcher dans le parc

   _____

I. Change all the statements to questions using **Est-ce-que.**

1. Ils cherchent un hôtel confortable.

   _____

2. Tu joues bien au base-ball.

   _____

3. Elles invitent les garçons.

   _____

4. Vous arrivez en France avec Marie.

   _____

5. Tu prépares un dîner délicieux.

   _____

6. Ils travaillent dans la boutique.

   _____

7. Elles trouvent un bon *(good)* restaurant.

   _____

8. Vous gagnez le match.

   _____

9. Nous visitons la France.

   _____

10. Il chante à l'école.

   _____

J. You are writing your first letter to a French pen pal. Write the questions you ask using **Est-ce que.**

EXAMPLE: habiter Paris
Est-ce que tu habites Paris?

1. aimer l'école

_____

2. écouter la musique rock

_____

3. travailler après l'école

_____

4. regarder beaucoup la télévision

_____

5. préparer le dîner pour ta famille

_____

6. danser avec tes amis

_____

K. Now ask your pen pal the questions you would like to ask, using **Est-ce que** or intonation.

1. _____

2. _____

3. _____

4. _____

5. _____

6. _____

LA VIE PRATIQUE

Select the best answer to the question based on what you read and write its number in the space provided.

Qu' est-ce que tu peux faire ici? _____

    1. écouter un concert
    2. jouer avec des animaux
    3. regarder des plantes
    4. jouer au football

Lecon 6

Leçon 6

A. Can you identify Marc Dupont's relatives?

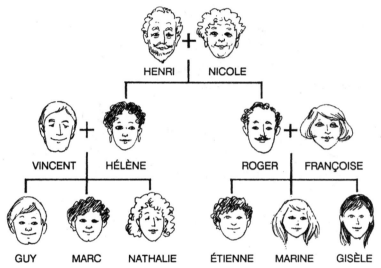

1. Vincent est _____.

2. Henri est _____.

3. Nicole est _____.

4. Guy est _____.

5. Hélène est _____.

6. Françoise est _____.

7. Roger est _____.

8. Gisèle est _____.

9. Étienne est _____.

10. Nathalie est _____.

B. Look at this picture and identify all those at the reunion (Use as many plurals as possible.)

1. _____

2. _____

3. _____

4. _____

5. _____

6. _____

7. _____

8. _____

9. _____

10. _____

C. You are trying to explain family relationships to your young cousin. Tell how these people are related to you.

    1. La mère de ma mère est ——————————————————————————————— .

    2. Le frère de mon père est ——————————————————————————————— .

    3. Le fils de mon oncle est ——————————————————————————————— .

    4. La fille de mes parents est ——————————————————————————————— .

    5. Le père de mon père est ——————————————————————————————— .

    6. La sœur de mon père est ——————————————————————————————— .

    7. La fille de ma tante est ——————————————————————————————— .

    8. Le fils de mes parents est ——————————————————————————————— .

D. Fill in the possessive adjective that corresponds to the subject to express what every one in the family is doing.

EXAMPLE: J'aime **ma** mère.

    1. Il parle à ————————————— grand-mère.

    2. Elles travaillent avec ————————————— parents.

    3. Nous téléphonons à ————————————— famille.

    4. Tu invites ————————————— cousin.

    5. Ils cherchent un cadeau pour ————————————— mère.

    6. J'habite avec ————————————— grands-parents.

    7. Vous écrivez à ————————————— cousines.

    8. Elle écoute ————————————— père.

    9. Je prépare le dîner pour ————————————— parents et ————————————— sœur.

    10. Les enfants jouent avec ————————————— oncle.

E. Change the expressions in bold type to the plural. Make all other necessary changes.

EXAMPLES: Je parle avec **mon ami.**   **Je parle avec mes amis.**
Sa sœur habite Paris.   **Ses sœurs habitent Paris.**

1. Ma cousine cherche **sa blouse.**

_____

2. **Mon frère** écoute un concert.

_____

3. **Notre oncle** travaille à New York.

_____

4. L'élève étudie **sa leçon.**

_____

5. Les garçons regardent **leur professeur.**

_____

6. Je ne danse pas avec **son cousin.**

_____

7. Tu cherches **ton cahier?**

_____

8. **Votre sœur** ne parle beaucoup.

_____

9. **Notre professeur** donne beaucoup de devoirs.

_____

10. Tu fais **ton exercice?**

_____

11. Je ne trouve pas **mon chat.**

_____

12. Les filles parlent avec **leur amie.**

_____

F. Use **sa, son, ses, leur,** or **leurs** as appropriate.

EXAMPLE: **sa** classe

1. _____ maison

2. _____ famille

3. _____ journaux

4. _____ école

5. _____ bureau

6. _____ sandwich

7. _____ animaux

8. _____ professeurs

G. Use the correct form of the possessive adjective to describe the noun in parentheses.

EXAMPLE: mes frères (famille)   **ma famille**

1. ta maison (livres) _____

2. nos amis (sœur) _____

3. votre oncle (cousines) _____

4. son cahier (crayons) _____

5. leurs chats (chien) _____

6. ses chaussures (blouse) _____

7. notre école (professeurs) _____

8. ta radio (téléphone) _____

9. ma tante (oncles) _____

10. sa règle (dictionnaire) _____

H. Your French pen pal plans to come to visit you. Write him/her a note in French about your family.

_____

_____

_____

_____

_____

_____

LA VIE PRATIQUE

Select the best answer to the question based on what you read and write its number in the space provided.

LE DÉFI ÉDUCATIF DE LA MAIRIE
Paris aide ses petits à devenir grands

Toutes les familles des grandes villes se trouvent tôt ou tard confrontées à ce problème : comment concilier les obligations et les choix des parents avec le rythme de vie des enfants, comment occuper le temps laissé libre après l'école ?

What is a problem of families who live in big cities according to this newspaper clipping? _____

1. There is a shortage of housing.
2. Schools are overcrowded.
3. Large cities are dangerous.
4. How do you keep children busy after school?

Leçon 7

A. Identify these people in French.

EXAMPLE: **C'est une secrétaire.**

1. _____

2. _____

3. _____

4. _____

5. _____

6. _____

7. _____

8. _____

9. _____

10. _____

B. The people in your class are describing themselves and each other. Express what they say, using the adjectives provided.

aimable	**dynamique**	**moderne**	**populaire**
sociable	**sincère**	**comique**	**formidable**

EXAMPLE: **Elles sont comiques.**

1. Tu _____.

2. Nous _____.

3. Geneviève _____.

4. Pierre et Christophe _____.

5. Je _____.

6. Brigitte _____.

7. Vous _____.

8. Guy _____.

C. Yesterday your friend gave his opinion about some people. Today he is in a bad mood and has completely changed his mind. Rewrite all his thoughts in the negative.

EXAMPLE: Marc est intelligent. **Marc n'est pas intelligent.**

1. Nous sommes petits. _____

2. L'actrice est jolie. _____

3. Les artistes sont pauvres. _____

4. Je suis mince. _____

5. L'agent de police est fort. _____

6. Vous êtes intéressants. _____

7. Les docteurs sont cruels. _____

8. Tu es grand. _____

D. Write a letter in French to your new pen pal asking six questions about him/her.

_____

_____

_____

_____

_____

_____

LA VIE PRATIQUE

Select the best answer to the question based on what you read and write its number in the space provided.

CLINIQUE BLOMET
recherche pour service de
CHIRURGIE

**INFIRMIÈRES DE
DE JOUR**

**INFIRMIÈRES DE
DE NUIT**

136 rue Blomet
75015 Paris
Mᵒ CONVENTION
48.28.40.60

What job is being advertised?   _____

1.

2.

3.

4.

Leçon 8

A. Identify in French what Mme Watteau has hanging on her laundry line.

1. _____

2. _____

3. _____

4. _____

5. _____

6. _____

7. _____

8. _____

B. Identify what M. Legrand is packing into his suitcase.

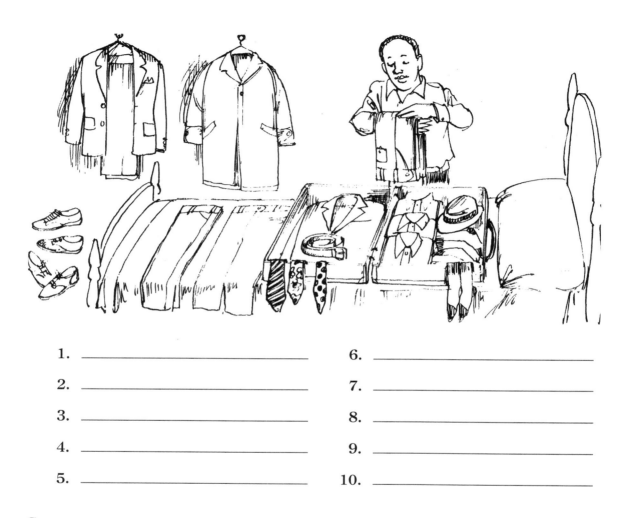

1. _____   6. _____

2. _____   7. _____

3. _____   8. _____

4. _____   9. _____

5. _____   10. _____

C. Use the correct forms of the adjectives to describe the people below.

intelligent	**riche**	**populaire**
grand	**splendide**	**fort**
charmant	**joli**	**mince**
comique	**pauvre**	**formidable**

1. Le président est _____

2. Batman est _____

3. Le professeur de français est _____

4. Eddie Murphy est _____

5. Donald Trump est _____

6. Arnold Schwartzenegger est _____

7. Miss America est _____

8. Raggedy Ann est _____

9. Cher est _____

10. Miss Piggy est _____

D. Now use the correct form of these adjectives to describe the people below.

élégant	**parfait**	**blond**
petit	**intéressant**	**brun**
amusant	**timide**	**important**
américain	**ordinaire**	**extraordinaire**

1. Madame Dubois, l'avocate, est _____.

2. L'actrice Isabelle Adjani est _____.

3. Ma sœur Nicole est _____.

4. Mes frères Jean et Paul sont _____.

5. Notre docteur est _____.

6. Notre mère est _____.

7. Ma grand-mère est _____.

8. Nos professeurs sont _____.

E. Write a list of five adjectives in French that describe you.

1. _____   4. _____

2. _____   5. _____

3. _____

F. Here are some opposites. Can you label them?

1. _____

2. _____

3. _____

4. _____

5. _____

6. _____

G. Write a list of five new articles of clothing you will buy for next season's wardrobe. Include the colors you prefer.

EXAMPLE: **une robe rouge**

1. _____
2. _____
3. _____
4. _____
5. _____

H. Describe what new clothes Martine is buying with her birthday money.

EXAMPLE: chemise/petit/noir **une petite chemise noire**

1. chaussures/joli/noir _____
2. pull-over/grand/élégant _____
3. robe/petit/blanc _____
4. ceinture/joli/brun _____
5. chaussettes/petit/bleu _____
6. manteau/grand/jaune _____

I. Draw a picture of your parents and describe them in French.

_____

_____

_____

_____

_____

_____

La Vie Pratique

Select the best answer to the question based on what you read and write its number in the space provided.

TOKIO KUMAGAÏ

Rue de Grenelle, TOKIO KUMAGAI conserve une ligne austère et confortable pour sa nouvelle collection de chaussures. Pour hommes : une ligne carrée et très virile. Pour femmes : une mise en valeur de la finesse du pied grâce au talon bobine et à l'élégance du daim. Les couleurs : Noir, marron, bordeaux, et des effets de drapé ou de vison, aussi originaux que ses dernières créations de prêt à porter.

What can you buy in this store?   _____

1.

2.

3.

4.

Leçon 9

A. Complete each sentence with an appropriate part of the body.

1. Je regarde avec _____.

2. J'écoute avec _____.

3. Je touche avec _____.

4. Je travaille avec _____.

5. Je marche avec _____.

6. Je danse avec _____.

7. Je parle avec _____.

8. Je porte un pantalon sur _____.

9. Je porte une écharpe *(scarf)* sur _____.

10. Je porte un chapeau sur _____.

B. Make sentences by choosing a word or phrase from each group.

J'		**les cheveux longs**
Marianne	**ai**	**une grande bouche**
Vous	**ont**	**les yeux verts**
Ils	**avons**	**de longues jambes**
Nous	**a**	**une jolie figure**
Georges	**avez**	**bon cœur**
Tu	**as**	**un long nez**
Anne et Cécile		**de grandes oreilles**

1. _____

2. _____

3. _____

49

4. _____

5. _____

6. _____

7. _____

8. _____

C. Write a four-sentence note in French to a friend describing your physical appearance.

_____

_____

_____

_____

_____

_____

D. Identify each person's problem.

1.   J'_____

2.   Marie_____

3.   Tu _____

4.   Nous _____

5.   Ils _____

6.   Vous _____

E. Say that these people don't have a problem anymore by making each of the sentences in Exercise D negative.

1.   _____

2.   _____

3.   _____

4.   _____

5. _____

6. _____

F. The following people have something unusual about their physical appearance. Describe them.

EXAMPLE: **René a de grands pieds.**

1. Philippe _____

2 Les filles _____

3. Ils _____

4. Sylvie _____

5. Tu _____

6. Vous _____

G. Write a list of four physical features you admire in a person.

1. _____

2. _____

3. _____

4. _____

H. These people haven't been entirely honest about their ages. Write out their correct ages in French.

EXAMPLE: (Mme Leblond 56/60)
Mme Leblond n'a pas cinquante-six ans. Elle a soixante ans.

1. (je 15/16) _____

_____

2. (M. Lesage 49/52) _____

_____

3. (vous 27/33) _____

_____

4. (tu 18/16) _____

_____

I. Answer these questions about yourself.

1. À quelle heure est-ce que tu as faim?

_____

2. Tu as quel âge?

_____

3. Combien de classes est-ce que tu as?

_____

4. Tu as les yeux de quelle couleur?

_____

5. Tu as les cheveux de quelle couleur?

_____

6. Qu'est-ce que tu portes *(wear)* quand tu as froid?

_____

LA VIE PRATIQUE

Select the best answer to the question based on what you read and write its number in the space provided.

PREMIERS CHAMPIONNATS DU MONDE DE BOXE FRANÇAISE

Dans tous les pays du monde, on éprouve le besoin de mettre au point et de populariser des techniques pour se défendre.

Ce sport est différent de la boxe anglaise parce que, en boxe française, les boxeurs emploient

_____

1. leurs oreilles et leur cou.
2. leurs cheveux et leur nez.
3. leurs pieds et leurs mains.
4. leurs dents et leurs doigts.

Leçon 10

A. Tell what the next day is.

1. C'est aujourd'hui mardi. Demain est _____.

2. C'est aujourd'hui vendredi. Demain est _____.

3. C'est aujourd'hui lundi. Demain est _____.

4. C'est aujourd'hui mercredi. Demain est _____.

5. C'est aujourd'hui dimanche. Demain est _____.

6. C'est aujourd'hui jeudi. Demain est _____.

7. C'est aujourd'hui samedi. Demain est _____.

B. Fill in the missing months.

1. janvier   5. mai   9. _____

2. _____   6. _____ 10. _____

3. _____   7. juillet   11. _____

4. _____   8. _____ 12. décembre

C. Avant ou après? Give the day that comes before or after the day indicated.

1. le jour avant lundi _____

2. le jour après dimanche _____

3. le jour avant vendredi _____

4. le jour avant mercredi _____

5. le jour avant dimanche _____

D. Write out in French all the circled dates.

EXAMPLE: **C'est aujourd'hui dimanche, le 6 octobre.**

2002			
	JANVIER	FÉVRIER	MARS	AVRIL

	JANVIER	FÉVRIER	MARS	AVRIL
LUNDI	7 14 21 28	4 11 18 25	4 11 18 25	1 8 15 22 29
MARDI	1 8 15 22 29	5 12 19 26	5 12 19 26	2 9 16 23 30
MERCREDI	2 9 16 23 30	6 13 20 (27)	6 13 20 27	3 10 17 24
JEUDI	3 10 17 24 (31)	7 14 21 28	7 14 21 28	4 11 18 25
VENDREDI	4 11 18 25	1 8 15 22	1 (8) 15 22 29	5 12 19 26
SAMEDI	5 12 19 26	2 9 16 23	2 9 16 23 30	6 13 20 27
DIMANCHE	6 13 20 27	3 10 17 24	3 10 17 24 31	7 14 21 28

	MAI	JUIN	JUILLET	AOÛT
LUNDI	6 13 20 27	3 (10) 17 24	1 8 15 22 29	5 12 19 26
MARDI	7 14 21 28	4 11 18 25	2 9 (16) 23 30	6 13 20 27
MERCREDI	1 8 15 22 29	5 12 19 26	3 10 17 24 31	7 14 21 28
JEUDI	2 9 16 23 30	6 13 20 27	4 11 18 25	1 8 15 22 29
VENDREDI	3 10 17 (24) 31	7 14 21 28	5 12 19 26	2 9 16 23 30
SAMEDI	4 11 18 25	1 8 15 22 29	6 13 20 27	3 10 17 24 31
DIMANCHE	5 12 19 26	2 9 16 23 30	7 14 21 28	4 11 18 25

	SEPTEMBRE	OCTOBRE	NOVEMBRE	DÉCEMBRE
LUNDI	2 9 16 23 30	7 14 21 28	4 11 18 25	2 9 16 23 30
MARDI	3 10 17 24	1 8 15 22 29	5 12 19 26	3 10 17 24 31
MERCREDI	4 11 18 25	2 9 16 23 30	6 13 20 27	4 11 18 (25)
JEUDI	5 12 19 26	3 10 17 24 31	7 14 21 28	5 12 19 26
VENDREDI	6 13 20 27	4 11 18 25	(1) 8 15 22 29	6 13 20 27
SAMEDI	7 14 21 28	5 12 19 26	2 9 16 23 30	7 14 21 28
DIMANCHE	1 8 15 22 29	6 13 20 27	3 10 17 24	1 8 15 22 29

1. _____

2. _____

3. _____

4. _____

5. _____

6. _____

7. _____

8. _____

E. Complete these French sentences.

1. Une année a _____ mois.

2. _____ est le premier (*first*) mois de l'année.

3. _____ est le dernier (*last*) mois de l'année.

4. Le mois de juin a _____ jours.

5. Il n'y a pas de classes le samedi et le _____.

6. Les grandes vacances sont en _____ et en _____.

7. Le jour de l'Indépendance est le quatre _____.

8. Le jour du Nouvel An est le premier _____.

F. Write out these dates in French.

1. your birthday _____

2. your parents' birthdays _____

_____

3. your brother's/sister's birthdays _____

_____

4. New Year's Eve _____

5. Halloween _____

G. A friend you haven't seen in a while would like to see you. Write a note explaining what you do on specific days of this week as well as what you do regularly on certain days.

_____

_____

_____

_____

_____

LA VIE PRATIQUE

Select the best answer to the question based on what you read and write its number in the space provided.

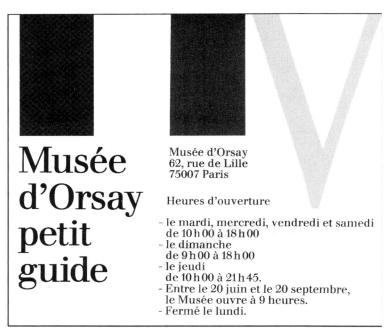

Musée
d'Orsay
petit
guide

Musée d'Orsay
62, rue de Lille
75007 Paris

Heures d'ouverture

- le mardi, mercredi, vendredi et samedi
  de 10 h 00 à 18 h 00
- le dimanche
  de 9 h 00 à 18 h 00
- le jeudi
  de 10 h 00 à 21 h 45.
- Entre le 20 juin et le 20 septembre,
  le Musée ouvre à 9 heures.
- Fermé le lundi.

When can you visit the Musée d'Orsay in Paris?   _____

    1. Only on Mondays.
    2. Until 9 pm from June 20 to September 20.
    3. Tuesday morning from 8 am to 10 am.
    4. Thursdays from 10 am until 9:45 pm.

Leçon 11

A. What's the weather in the French cities on the map?

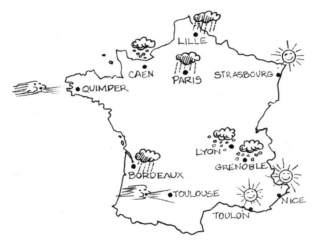

EXAMPLE: **À Quimper, il fait du vent.**

1. _____

2. _____

3. _____

4. _____

5. _____

6. _____

7. _____

8. _____

9. _____

10. _____

B. Quel temps fait-il? Answer the following questions in complete French sentences.

1. Quel temps fait-il en été? _____

_____

2. Pendant quels mois fait-il chaud? _____

_____

3. Fait-il du soleil à midi? _____

_____

4. Quand est-ce qu'il neige? _____

_____

5. Pendant quels mois fait-il froid? _____

_____

6. Est-ce qu'il pleut beaucoup dans votre ville? _____

_____

7. Est-ce qu'il neige beaucoup dans votre ville? _____

_____

8. Il fait du vent en quelle saison? _____

_____

9. Qu'est-ce que vous faites quand il fait beau? _____

_____

10. Qu'est-ce que vous faites quand il fait mauvais? _____

_____

C. Name the season and months for each picture.

1.   saison _____

mois _____

_____

_____

2.

saison _____

mois _____

_____

_____

_____

3.

saison _____

mois _____

_____

_____

_____

4.

saison _____

mois _____

_____

_____

D. Finish the sentence by expressing in which season you do the following activities.

1. Je fais un pique-nique _____.

2. Je joue au tennis _____.

3. Je joue au football américain _____.

4. Je joue dans la neige _____.

5. Je joue au base-ball _____.

6. Je fais une promenade au parc _____.

7. Je fais un voyage _____.

8. Je fais du ski _____.

E. Create sentences that tell what these people are doing.

faire attention	**faire une promenade**	**faire les devoirs**
faire une partie de base-ball	**faire du ski**	**faire une omelette**
faire un voyage	**faire un pique-nique**	

1. Je _____

2. Marie _____

3. Nous _____

4. Paul et Jacques _____

5. Tu _____

6. Il _____

7. Vous _____

8. Elles _____

F. Express that these people are not doing what they are supposed to be doing.

EXAMPLE: Jean/faire un voyage en Suisse   **Jean ne fait pas un voyage en Suisse.**

1. Lisette/faire attention _____

_____

2. je/faire mes devoirs _____

_____

3. ils/faire le dîner _____

_____

4. nous/faire la salade _____

_____

5. tu/faire la valise (*suitcase*) _____

_____

6. vous/faire la liste _____

_____

G. For each picture identify the season; give the weather and write one activity that you do at that time.

1. _____
   _____
   _____
   _____

2. _____
   _____
   _____
   _____

3. _____
   _____
   _____
   _____

4. _____
   _____
   _____
   _____

LA VIE PRATIQUE

Select the best answer to the question based on what you read and write its number in the space provided.

Au pied des sommets enneigés de l'Atlas, la palme-
raie sert d'écrin à une perle rouge : MARRAKECH.
Un climat sec particulièrement sain ajoute encore au
plaisir des visites et excursions, et permet la pratique de tous les sports de plein air (golf et tennis en
premier lieu).

What is the weather like in Marrakech in Morocco?   _____

    1. too cold to go outside.
    2. too hot to play sports.
    3. windy and rainy.
    4. dry and comfortable.

Leçon 12

A. Identify the sports illustrated in the picture.

1. _____   6. _____

2. _____   7. _____

3. _____   8. _____

4. _____   9. _____

5. _____   10. _____

B. You are going to camp this summer and the camp questionnaire asks you to list your four favorite sports. Write your list.

1. _____   3. _____

2. _____   4. _____

C. Use the verb **faire** and **du** or **de la** to tell what sports these people engage in.

1. Je _____ natation.

2. Nous _____ patinage.

3. Tu _____ football.

4. Il _____ cyclisme.

5. Vous _____ gymnastique.

6. Elles _____ hockey.

D. Fill in the correct form of the verb that makes sense in the sentence. Choose from the following list.

remplir	saisir	choisir
applaudir	punir	finir

1. Vous _____ des joueurs pour l'équipe.

2. Les spectateurs _____ le stade.

3. Je _____ le ballon.

4. _____-tu après le match?

5. Nous _____ le match à quatre heures.

6. L'entraîneur _____ les joueurs qui n'écoutent pas.

E. Write in French what happens in M. Moreau's class.

1. Le professeur/punir/les élèves _____

_____

2. Jeanne/remplir/le questionnaire _____

_____

3. Nous/applaudir _____

_____

4. Vous/saisir/le livre de Jacques _____

_____

5. Je/finir/tous les exercices _____

_____

6. Tu/choisir/la réponse correcte _____

_____

7. Les garçons/choisir/le bon exemple _____

_____

8. Vous/finir/le livre _____

_____

F. Tell what happens in the class when M. Moreau is absent. Complete the sentences with the correct form of the verb in the negative.

EXAMPLE: (finir)/Nous/la leçon   **Nous ne finissons pas la leçon.**

1. (finir) Les filles _____ les exercices.

2. (applaudir) Le directeur _____ la classe.

3. (remplir) Vous _____ la liste de vocabulaire.

4. (choisir) Les élèves _____ de faire attention.

G. Form questions using inversion by asking what each of the following people are doing.

faire du football	**gagner la compétition**	**remplir le stade**
jouer au baseball	**finir le match**	**applaudir le gagnant** *(winner)*

1. (elles) _____

2. (vous) _____

3. (nous) _____

4. (tu) _____

5. (ils) _____

6. (nous) _____

H. Change the sentences to questions using inversion.

1. Il parle bien français.

_____

2. Il gagne le match.

_____

3. Elle joue au tennis le samedi.

_____

4. Elle fait beaucoup de sport.

_____

5. Il finit ses devoirs

_____

6. Elle applaudit l'acteur.

_____

7. Il danse bien.

_____

8. Elle travaille dans une boutique.

_____

I. Ask questions using inversion to find out what these people are doing.

EXAMPLE: **Pierre fait-il du ski?**

| jouer au basket-ball | écouter le professeur | applaudir l'équipe |
| regarder le match | choisir la natation | remplir la liste |

1. Michel _____

2. Les filles _____

3. Isabelle _____

4. Les étudiants _____

5. Les parents _____

6. Le directeur _____

J. Form questions in two ways using the clues given, with inversion and with **est-ce que**.

1. (comment) il joue au golf

_____

_____

2. (où) tu pratiques la natation

_____

_____

3. (qui) elles punissent

_____

_____

4. (que) Pierre gagne

_____

_____

5. (quand) vous arrivez à Paris.

_____

_____

6. (Pourquoi) nous applaudissons?

_____

_____

LA VIE PRATIQUE

SKI - VOL
LA PASSION DE LA GLISSE

PLANCHE À VOILE
PARACHUTE
PENTAGLISS
SKI NAUTIQUE
TOBOGGAN

Plage du Larvotto - MONTE-CARLO
℅ **93.50.86.45**

On pratique ces sports de glisse quand   _____

1. il neige
2. il pleut
3. il fait froid
4. il fait beau

Leçon 13

A. Express what each member of the Ricard family is listening to.

1. M. Ricard écoute _____.

2. Les grands-parents écoutent _____.

3. Henriette écoute _____.

4. Jean et Luc écoutent _____.

5. Maman écoute _____.

6. Les enfants écoutent _____.

B. Fill in the correct form of a verb that makes sense in the sentence, choosing from the following list.

      attendre   **entendre**   **descendre**   **vendre**   **répondre**

1. Le musicien _____ aux questions.

2. J' _____ le commencement du concert.

3. _____ -vous la musique?

4. Ils _____ l'escalier.

5. _____ -tu la radio?

6. Vous _____ vos amis après le concert.

7. Le magasin _____ des cassettes.

8. Je _____ de l'autobus.

9. Nous _____: «oui».

10. M. Dupont et son frère _____ des instruments de musique.

C. Write in French what each person is doing now.

1. tu/attendre Robert _____

    _____

2. nous/descendre du train_____

    _____

3. ils/entendre le baladeur _____

    _____

4. vous/répondre à la question _____

    _____

5. je/entendre la fanfare_____

    _____

6. elle/vendre des rafraîchissements (*refreshments*) _____

_____

D. Tell what these people are not doing by making the sentence negative.

1. (entendre)   Tu _____ la musique.

2. (descendre)   Vous _____ en ville.

3. (attendre)   Je _____ le bus.

4. (vendre)   Ils _____ de disques compacts.

5. (répondre)   Nous _____ au téléphone.

6. (attendre)   Elle _____ son ami.

E. Form questions using inversion asking what each of the indicated subjects is doing. Choose from the following list.

vendre des disques compacts   **descendre au magasin**
attendre le vendeur   **répondre rapidement**
entendre la stéréo   **vendre des cassettes**

1. (nous) _____

2. (il) _____

3. (ils) _____

4. (tu) _____

5. (vous) _____

6. (elle) _____

F. Write a list of four musical gifts you could purchase for a family member or friend.

1. _____   **3.** _____

2. _____   **4.** _____

G. Write a composition in French telling about the type of music you like and why.

_____

_____

_____

_____

_____

LA VIE PRATIQUE

Select the best answer to the question based on what you read and write its number in the space provided.

En avant la musique !

Du 15 au 20 septembre, tu vas en avoir plein les oreilles au 14ᵉ Salon international de la musique. Plus de 10 000 instruments attendent que tu les essayes. Mais si tu préfères les vidéo-clips, tu verras les meilleurs.

— Et puis, va vite à la page 84 de ton journal... un concours y est organisé. Le thème : la musique, bien sûr.

150 000 F de prix à gagner ! Et Picsou sera au Salon pour t'aider... Alors, fonce à la Grande Halle de la Villette, porte de Pantin !

What does this ad invite you to do? _____

  1. Join a band.
  2. Enter a contest.
  3. Compose your own song.
  4. Make a music video.

Leçon 14

A. Match the animal with the phrase that describes it. Write the matching letter next to the name of the animal.

1. la vache _____
2. le cochon _____
3. l'oiseau _____
4. l'éléphant _____
5. l'âne _____
6. le renard _____
7. le lion _____
8. le chien _____
9. la poule _____
10. le mouton _____

a. Il est stupide.
b. Elle donne des œufs.
c. Elle donne du lait.
d. Il vole (*flies*).
e. C'est le roi (*king*) de la jungle.
f. Il est sale (*dirty*).
g. Il est très rusé (*sly*).
h. Il est grand et gris.
i. Il donne de la laine.
j. C'est le meilleur (*best*) ami de l'homme.

B. You are at the zoo. Tell your friend to do the following things.

EXAMPLE: trouver les chiens   **Trouve les chiens!**

1. regarder les animaux _____
2. applaudir les singes _____
3. saisir le lapin _____
4. donner à manger à l'éléphant _____
5. parler au lion _____

6. écouter le tigre _____

7. chercher les oiseaux _____

8. trouver les loups _____

9. admirer le renard _____

10. attendre les chevaux _____

C. Now tell your friend not to do the following things.

    EXAMPLE: **Ne trouve pas les chiens!**

1. saisir les animaux _____

2. donner à manger aux tigres _____

_____

3. répondre aux chats _____

4. punir les chiens _____

5. attendre les lions _____

6. parler aux éléphants _____

7. danser avec (*with*) les loups _____

_____

8. chanter avec les oiseaux _____

_____

9. jouer avec les singes _____

10. vendre les animaux _____

D. Mots croisés

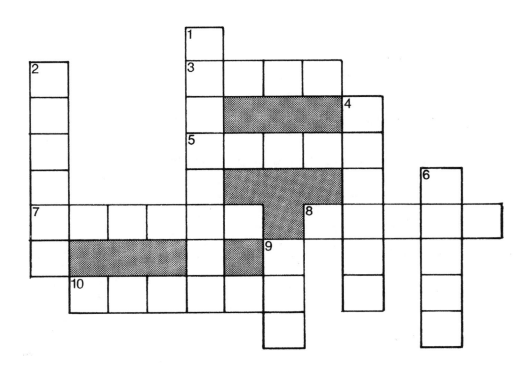

HORIZONTALEMENT	VERTICALEMENT
3. lion	**1.** elephant
5. hen	**2.** pig
7. bird	**4.** fox
8. cow	**6.** dog
10. sheep	**9.** donkey

E. Write the advice that M. and Mme Dumard give to their sons.

EXAMPLE: écouter en classe   **Écoutez en classe!**

1. regarder le tableau _____

2. écouter le professeur _____

3. finir les exercises _____

4. répondre aux questions _____

5. choisir les réponses correctes _____

6. attendre la cloche (*bell*) _____

F. Write what the Dumard tell their sons not to do.

EXAMPLE: parler espagnol   **Ne parlez pas espagnol!**

1. parler en classe _____

2. attendre vos amis _____

3. punir le professeur _____

_____

4. donner de réponses stupides _____

_____

5. arriver en retard_____

6. applaudir_____

G. Write what suggestions your friends make for today.

EXAMPLE: regarder la télévision   **Regardons la télévision!**

1. travailler au marché _____

2. jouer au tennis _____

3. finir nos devoirs _____

4. écouter la musique classique _____

_____

5. vendre les disques _____

_____

6. descendre en ville _____

_____

H. It's raining outside. You're also very tired. Tell your friends what you shouldn't do by using the negative.

EXAMPLE: **Ne descendons pas en ville!**

1. _____

2. _____

3. _____

4. _____

4. _____

5. _____

6. _____

I. Make a list of four things you want to tell your brother/sister not to do.

1. _____

2. _____

3. _____

4. _____

J. Write a four-sentence note to your parents suggesting what you and your family can do this evening.

_____

_____

_____

_____

_____

LA VIE PRATIQUE

Select the best answer to the question based on what you read and write its number in the space provided.

Which proverb means: When nobody is around to watch you, you can do what you want.

_____

1. Il faut appeler un chat un chat.
2. Il ne faut pas tuer la poule aux œufs d'or.
3. La nuit tous les chats sont gris.
4. Quand le chat n'est pas là, les souris dansent.

Leçon 15

A. M. Leclerc drives a taxi. Express in French where he drops off his customers.

EXAMPLE:

au théâtre

à l'hôpital

à la maison

1. _____   **2.** _____

3. _____   **4.** _____

5. _____   **6.** _____

7. _____   **8.** _____

81

9. _____   10. _____

B. Imagine that your French-speaking pen pal comes to visit. List four places he/she might visit in your town.

1. _____   3. _____

2. _____   4. _____

C. There is a conference at the convention center. Tell from where these people are arriving.

EXAMPLE: **Lisette arrive du zoo.**

1. M. Savin arrive _____

2. Mme Lanvin arrive _____

3. Mlle Constant arrive _____

4. Liliane arrive _____

5. Grégoire arrive _____

6. M. Bernard arrive _____

7. Mme Bernadot arrive _____

8. Mlle Nalet arrive _____

9. Arthur arrive _____

10. Marthe arrive _____

11. M. Grévisse arrive _____

12. Mme Lelong arrive _____

D. Express what the tourists are talking about.

EXAMPLE: **Ils parlent du café.**

1. _____

_____

2. _____

_____

3. _____

_____

4. _____

_____

5. _____

_____

6. _____

_____

7. _____

_____

8. _____

_____

E. Identify the place in French by combining the elements.

    EXAMPLE: (café/airport)   **C'est le café de l'aéroport.**

1. (library/school) _____

    _____

2. (factory/family Caron) _____

    _____

3. (apartment/Véronique) _____

    _____

4. (train station/city) _____

    _____

5. (restaurant/hotel) _____

    _____

F. Your Canadian pen pal, Jean, is curious about your town. Answer his questions about it.

Jean: Comment est ta ville?

Vous: _____
    (*Say whether it is big or small.*)

Jean: Il y a combien d'écoles dans ta ville?

Vous: _____
    (*Tell how many there are.*)

Jean: Quels sont les cinémas populaires?

Vous: _____
    (*Tell what they are.*)

Jean: Que fais-tu pour t'amuser (*For fun*)?

Vous: _____
    (*Tell what you do.*)

Jean: Quel temps fait-il maintenant dans ta ville?

Vous: _____
    (*Tell what it is like.*)

LA VIE PRATIQUE

Select the best answer to the question based on what you read and write its number in the space provided.

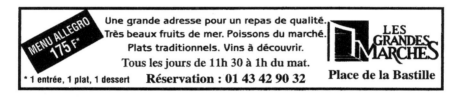

Où êtes-vous? _____

1. au marché.
2. dans un magasin de fruits.
3. dans un restaurant.
4. dans un hôtel.

Leçon 16

A. Andrée has a lot of chores to do today. Express at what time she arrives at each destination.

EXAMPLE: **Elle arrive au supermarché à huit heures.**

1. _____

_____

2. _____

_____

3. _____

_____

4. _____

5. _____

6. _____

7. _____

8. _____

B. Tell where these people are going.

église	boulangerie
restaurant	hôtel
aéroport	lycée
librairie	grands magasins

EXAMPLE: **Tu vas à la librairie.**

1. Je _____

2. Ils _____

3. Nous _____

4. Marianne _____

5. Vous _____

6. Grégoire _____

7. Tu _____ . _____

8. Lise et Renée _____

C. Ask if these people are going to the following stores.

EXAMPLE: Henri/boutique   **Va-t-il à la boutique?**

1. tu/pharmacie _____

_____

2. Nous/épicerie _____

_____

3. les Caron/boulangerie _____

_____

4. Laure/boucherie _____

_____

5. vous/marché _____

_____

6. Anne et Sylvie/magasins _____

_____

D. Answer all the questions in Exercise C in the negative.

    EXAMPLE: **Il ne va pas à la boutique.**

    1. _____

    2. _____

    3. _____

    4. _____

    5. _____

    6. _____

E. List four places that you go to frequently.

    1. _____   3. _____

    2. _____   4. _____

F. Some stores are closed today. Tell your friend not to go to these places.

    EXAMPLE: **Ne va pas au grand magasin!**

    1. _____

    2. _____

    3. _____

4. _____

5. _____

6. _____

G. Tell your brother or sister where he/she must go today.

EXAMPLE: Va à la boucherie!

1. _____

2. _____

3. _____

4. _____

5. _____

6. _____

H. Express what these people are going to do in their spare time.

EXAMPLE: **Elle va danser.**

1. Je _____

2. Anne _____

3. Nous_____

4. Paul et Henri _____

5. Vous_____

6. Tu _____

I. Ask if these people are going to do the following things.

EXAMPLE: tu/aller au magasin   **Vas-tu aller au magasin?**

1. tu/travailler au supermarché

_____

2. Il/étudier le vocabulaire

_____

3. elle/aller à la pharmacie

_____

4. vous/finir vos devoirs

_____

5. elles/faire l'exercice

_____

6. ils/préparer la mousse

_____

J. Your friend wants to know what you are going to do this summer. Write him/her a four-sentence note explaining your plans.

_____

_____

_____

_____

_____

LA VIE PRATIQUE

Select the best answer to the question based on what you read and write its number in the space provided.

ARRIVAGE Air France frais
Poulet grains, Pintade, Pigeon
Canard, Caille, Lapin, Coquelet....

On va à la _____ pour acheter ces produits.

1. boulangerie
2. boucherie
3. pharmacie
4. pátesserie

Nom: _____ Classe: _____ Date: _____

Leçon 17

A. Here is a plan of the house built by Jacques Laplanche. Identify what you see in the picture.

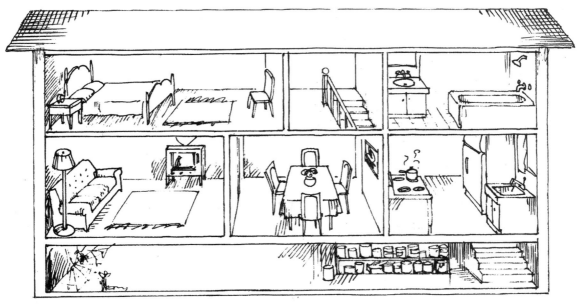

EXAMPLE: **C'est la chambre.**

1. _____   6. _____

2. _____   7. _____

3. _____   8. _____

4. _____   9. _____

5. _____   10. _____

B. List four items that you have in your bedroom.

1. _____   3. _____

2. _____   4. _____

95

Copyright© 2003, 1991 by AMSCO School Publications, Inc.

C. Write a list of things you would expect to find in the following rooms.

LA CUISINE   LA SALLE À MANGER   LE SÉJOUR

_____   _____   _____

_____   _____   _____

_____   _____   _____

_____   _____   _____

D. Answer the questions about your apartment or house by using a preposition.

1. Où est la télé?   _____

   _____

2. Où est la salle de bains?   _____

   _____

3. Où est le réfrigérateur?   _____

   _____

4. Où est la lampe?   _____

   _____

5. Où est le séjour?   _____

   _____

E. Write a list of six places where you might have left the CD you can't find.

   EXAMPLE: **sous le lit**

   1. _____   4. _____

   2. _____   5. _____

   3. _____   6. _____

F. Where is the cat hiding?

EXAMPLE: **Il est sous le lit.**

1. _____

2. _____

3. _____

4. _____

5. _____

6. _____

7. _____

8. _____

G. You have just moved to a new house or apartment. Write a note in French to a friend describing your new house.

_____

_____

_____

_____

_____

LA VIE PRATIQUE

Select the best answer to the question based on what you read and write its number in the space provided.

AVENUE RODIN
Près HENRI MARTIN.Style
Mew's Anglais.Atelier
duplex 100 m2,2 caves,
entrée privative.Parfait
état,cuis. équipée.
Voie privée calme.
500.000 €. Direct Part.
préférence à Part.
Tél 49.53.00.50.

What does this ad say about this apartment?   _____

1. It is very quiet.
2. The kitchen needs work.
3. It has a large entrance.
4. It has two bedrooms.

Leçon 18

A. Robert has won the lottery and is on a shopping spree. Express what items he chooses.

EXAMPLE: **Il choisit cette télévision à grand écran.**

1. _____

2. _____

3. _____

4. _____

5. _____

6. _____

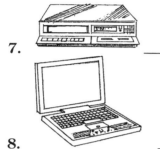

7. _____

8. _____

B. Annette is having a party and wants her friends' opinions. Finish her questions with the correct form of the demonstrative adjective **ce, cette, cet, ces.**

Que penses-tu de

1. _____ robe?

2. _____ dîner?

3. _____ invitation?

4. _____ décorations?

5. _____ garçon?

6. _____ filles?

7. _____ cassette?

8. _____ chaussures?

9. _____ lecteur de CD?

10. _____ disques?

11. _____ sandwiches?

12. _____ orangeade?

13. _____ magnétoscope?

14. _____ grand écran?

15. _____ téléphone sans fil?

16. _____ fax?

17. _____ four à micro-ondes?

18. _____ caméscope?

19. _____ salade?

20. _____ gâteau?

C. Make a list of the five electronic devices you think are the most useful.

1. _____

2. _____

3. _____

4. _____

5. _____

D. Describe what the customers say about the electronic equipment.

EXAMPLE: four à micro-ondes/moderne   **Ce four à micro-ondes est moderne.**

1. mini-télévision/excellente _____

_____

2. lecteur de disques compacts/superbe _____

_____

3. magnétoscope/extraordinaire _____

_____

4. machine à écrire électrique/portative _____

_____

5. calculateur solaire/démodé (*outmoded*) _____

_____

6. caméscope/populaire _____

_____

E. Using adjectives that you have learned, write a list of four reasons why you like or dislike a computer.

1. _____

2. _____

3. _____

4. _____

LA VIE PRATIQUE

Select the best answer to the question based on what you read and write its number in the space provided.

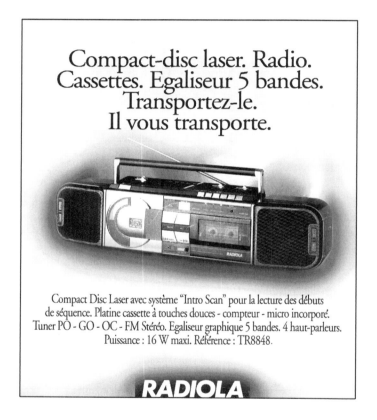

What's not true about this compact disk player?   _____

    1. It's portable.
    2. It plays cassettes.
    3. It can play five CDs
    4. It is also a radio.

Leçon 19

A. Jeanne is preparing many dishes for a party, and she can't seem to find all the ingredients she needs. Her brother is helping her. Express what he finds.

EXAMPLE: **Voici le jambon.**

1. _____

2. _____

3. _____

4. _____

5. _____

6. _____

7. _____

8. _____

9. _____

10. _____

11. _____

12. _____

B. List six of your favorite foods.

1. _____   4. _____

2. _____   5. _____

3. _____   6. _____

C. List four foods that you don't like.

1. _____   3. _____

2. _____   4. _____

D. Express what is on the school menu for lunch.

EXAMPLE: **Il y a de la viande.**

1. _____

2. _____

3. _____

4. _____

5. _____

6. _____

7. _____

8. _____

9. _____

10. _____

11. _____

12. _____

E. Answer these questions about yourself with complete sentences.

1. Quand vous avez faim, que mangez-vous? _____

_____

2. Quand vous avez soif, qu'est-ce que vous aimez boire? _____

_____

3. Aimez-vous les fruits? _____

_____

4. Aimez-vous les légumes? _____

_____

5. Aimez-vous préparer des desserts? _____

_____

6. Quel est votre dessert préféré? _____

_____

F. You are in a restaurant with your friend Roger, who loves to eat a lot. Express what he says to the waiter.

EXAMPLE: **Donnez-moi de la mousse, s'il vous plaît.**

1. _____

2. _____

3. _____

4. _____

5. _____

6. _____

7. _____

8. _____

9. _____

10. _____

G. Your local supermarket hasn't had a delivery in a long time. Express what is missing from the shelves.

> EXAMPLE: soupe   **Il n'y a pas de soupe.**

1. fruits _____

2. poisson _____

3. bifteck _____

4. œufs _____

5. pain _____

6. laitue _____

7. épinards _____

8. haricots verts _____

9. fromage _____

10. tomates _____

H. Invite a friend for dinner. Tell him/her which day and what time to come, and also what you are going to make.

_____

_____

_____

_____

_____

_____

_____

_____

_____

_____

_____

LA VIE PRATIQUE

You are in a hotel in Canada and you're getting breakfast in bed from room sevice. Look at the menu and order what you like. Make a list; do not write on the menu itself.

Leçon 20

A. Using the correct form of the verb **vouloir,** tell what everyone wants.

EXAMPLE: je/de l'orangeade   **Je veux de l'orangeade.**

1. Louis/du thon   _____

_____

2. nous/des œufs durs

_____

3. Marie et Alice/des cerises   _____

_____

4. tu/une fourchette   _____

_____

5. je/des pommes de terre   _____

_____

6. vous/une tasse   _____

_____

7. ils/des saucisses   _____

_____

8. elle/une assiette   _____

_____

9. tu/un sandwich _____

_____

10. nous/des chips _____

_____

B. The students in the École Gastronomique are learning to become chefs. State what dishes they can prepare.

rosbif	poulet	salade niçoise
bifteck	bouillabaisse	pommes de terre
poisson	œufs	glace au chocolat

EXAMPLE: **Il peut préparer de la soupe.**

1. Elle _____.

2. Nous _____.

3. Marc et Jean _____.

4. Anne _____.

5. Je _____.

6. Louise et Micheline _____.

7. Tu _____.

8. Paul _____.

9. Vous _____.

C. Make five of your answers above negative. What can't they do?

EXAMPLE: **Je ne peux pas faire de soupe.**

1. _____

2. _____

3. _____

4. _____

5. _____

D. Complete with the proper form of **vouloir.**

1. Je _____ un verre d'eau.

2. _____ -vous un sandwich au rosbif?

3. Luc et Pascal _____ mettre le couvert.

4. Nous ne _____ pas d'assiette.

5. Est-ce que tu _____ préparer la salade?

6. Elles ne _____ pas aller au pique-nique.

7. Vous _____ une tasse de café.

8. _____-tu du gâteau au chocolat?

E. Albert is participating in a food-eating contest. Express what he says he can eat by using a form of **tout.**

EXAMPLE: **Je peux manger tous les petits pois.**

1. _____

2. _____

3. _____

4. _____

5. _____

6. _____

7. _____

8. _____

F. You're having company for dinner. Write a note to your younger brother explaining how to set the table. You may use the command: **Mets** (*Put*).

_____

_____

_____

_____

_____

LA VIE PRATIQUE

How would you express this proverb in English?   _____

Vouloir, c'est pouvoir.

1. Necessity is the mother of invention.
2. All's well than ends well.
3. Nothing ventured nothing gained.
4. Where there's a will, there's a way.

Leçon 21

A. Fill in the missing letters in each country. Then join the letters to find out where Marie is going for her vacation.

    1. H ___ ï t i

    2. J a p o ___

    3. E s p a ___ n e

    4. A l ___ e m a g n ___

    5. É ___ a t s - U n i s

    6. C h i n ___

    7. ___ u s s i e

    8. F ___ a n c e

    9. I t a l i ___

    Marie va en _____.

B. From the information on the maps, write the names in French of the following countries with the appropriate article.

1. _____   **2.** _____

3. _____   **4.** _____

5. _____   **6.** _____

7. _____   **8.** _____

9. _____   **10.** _____

C. Express where these people are from by completing the sentences with **du, d', de,** or **des.**

1. Je suis _____ États-Unis.

2. Il est _____ Russie.

3. Nous sommes _____ Italie.

4. Vous êtes _____ France.

5. Tu es _____ Espagne.

6. Ils sont _____ Angleterre.

7. Elle est _____ Chine.

8. Elles sont _____ Japon.

9. Vous êtes _____ Canada

10. Tu es _____ Allemagne.

D. By looking at the pictures, tell the nationality of the people mentioned.

1. Luigi est _____   2. Mireille est _____

3. Dimitri est _____   4. Ces femmes sont _____

5. Juan est _____   6. Max est _____

E. Describe the people you know by supplying the correct forms of the adjectives.

1. (haïtien)   Les garçons sont _____.

2. (italien)   Mario est _____.

3. (canadien)   Claudine est _____.

4. (français)   Sylvie est _____.

5. (anglais) Les grands-pères sont _____.

6. (chinois) Anne est _____.

7. (mexicain) Les jeunes filles sont _____.

8. (japonais) Marie est _____.

9. (américain) Les mères sont _____.

10. (haïtien) Marie-Pierre est _____.

F. You are at an International Youth Congress. All delegates have to write three sentences about themselves and their origins. Express what each person writes.

EXAMPLE: Douglas/Canada/Canadian
Je m'appelle Douglas. Je suis du Canada. Je suis canadien.

1. Mariko/Japan/Japanese _____

_____

2. Gabrielle/Haiti/Haitian _____

_____

3. Maria/Italy/Italian _____

_____

4. Carmen/Spain/Spanish _____

_____

5. Steve/U.S./American _____

_____

6. Heidi/Germany/German _____

_____

7. Janine/France/French _____

_____

8. Madeleine/Canada/Canadian _____

_____

G. Describe the nationalities of these students.

    EXAMPLE: Joan/États-Unis   **Joan est américaine.**

1. Jean-Paul et Pierre/France

   _____

2. Luis et Pablo/Espagne

   _____

3. Natasha/Russie

   _____

4. Victoria/Angleterre

   _____

5. Réginald et Patrick/Haïti

   _____

6. Marie-Hélène/Canada

   _____

7. Vincenza et Ana Maria/Italie

   _____

8. Suyin (f.) et HoMing (f.)/Chine

   _____

H. A friend of yours is curious about your French cousin. Write a four-sentence note to him/her describing your cousin and his/her background.

_____

_____

_____

_____

_____

_____

_____

LA VIE PRATIQUE

Select the best answer to the question based on what you read and write its number in the space provided.

L'Université de Montréal, fondée en 1878, est la plus grande université française en Amérique du Nord. Depuis plus de 40 ans, l'Ecole de français offre des cours de français à une clientèle internationale intéressée par le Québec et ses caractéristiques socioculturelles.

What do you know about this school?   _____

1. It has 1878 students.
2. Most of the students are over 40 years old.
3. It accepts students from many different countries.
4. It has branches in many countries.

Leçon 22

A. Tell how these people go to work.

EXAMPLE: **Je prends un taxi.**

1. Les élèves _____

2. Philippe _____

3. Nous_____

4. Le docteur _____

121

5. Tu _____

6. Vous_____

B. Tell where you go to use the following means of transportation.

EXAMPLE: **Je vais à l'aéroport.**

1. Je vais _____

2. Je vais _____

3. Je vais _____

4. Je vais _____

C. Choose one element from each column to tell what means of transportation these people use.

Je		le bateau
Laure	prend	l'avion
Pierre et Luc	prenons	le train
Nous	prennent	le taxi
Les filles	prends	la voiture
Luc	prenez	le scooter
Tu		l'autobus
Vous		la motocyclette

1. _____

2. _____

3. _____

4. _____

5. _____

6. _____

7. _____

8. _____

D. There's a lot of road construction going on. Tell your friends not to take the following.

EXAMPLE: **Ne prenez pas la voiture.**

1. _____

2. _____

3. _____

4. _____

E. Ask what these people are taking for dinner.

EXAMPLE: (il)   **Prend-il du biftek?**

1. (ils) _____

2. (tu) _____

3. (nous) _____

4. (vous) _____

5 (elle) _____

6. (elles) _____

F. You're a fussy eater. Write a list of things you don't eat.

EXAMPLE: **Je ne prends pas de fruits.**

1. _____

2. _____

3. _____

4. _____

5. _____

6. _____

G. Tell what these people are or aren't learning to do.

EXAMPLE: **Non, je n'apprends pas la gymnastique.**

1. Oui, il _____

2. Oui, je _____

3. Non, nous_____

4. Oui, elles _____

5 Non, tu_____

6. Non, vous_____

H. Ask if these people understand the following languages.

    EXAMPLE: tu/russe   **Comprends-tu le russe?**

1. vous/anglais _____

2. ils/français _____

3. tu/allemand _____

4. elle/chinois _____

5. elles/italien _____

6. il/espagnol _____

I. Your friend would like to go to school with you. Explain at what time you leave, how you go to school, with whom you go, and at what time you arrive.

_____

_____

_____

_____

_____

_____

_____

_____

_____

_____

_____

LA VIE PRATIQUE

Select the best answer to the question based on what you read and write its number in the space provided.

BATOBUS. 01.44.11.33.99. Six escales pour retrouver l'esprit des quartiers parisiens en naviguant de l'un à l'autre: Tour Eiffel, St-Germain-des-Prés, Louvre, Hôtel-de-Ville, Notre-Dame, Musée d'Orsay. Un bateau toutes les 25mn à chaque escale. Tlj de 10h à 21h. Tarifs: 20 F la première escale, 10 F les suivantes. Forfaits: 1 jour: 60 F,-12 ans: 30 F; 2 jours: 90 F,-12 ans: 45 F. Saison: 250 F. Jusqu'au 1ᵉʳ novembre.

What is being described?   _____

   1. A tour of Paris in a taxi?
   2. A boat ride on the Seine River in Paris?
   3. A trip by subway in Paris?
   4. A guided tour of Paris in a tourist bus?

Leçon 23

A. There is no school today. Suggest to your friend where you might go.

EXAMPLE: **Allons au parc!**

1. _____

2. _____

3. _____

4. _____

5 _____

129

6. _____

7. _____

8. _____

9. _____

10. _____

B. List six places where you would like to go with your best friend on a Sunday afternoon.

1. _____   4. _____

2. _____   5. _____

3. _____   6. _____

C. Tell what each of these people can see from the observation tower.

    EXAMPLE: (il/un jardin)   **Il voit un jardin.**

1. (Roger/une église) _____

2. (tu/un cirque) _____

3. (les garçons/un stade) _____

4. (je/un musée) _____

5. (Nancy/une piscine) _____

6. (vous/un zoo) _____

7. (Élise et Carine/une discothèque) _____

    _____

8. (nous/un théâtre) _____

D. Complete the sentences to tell what these people are photographing.

            musée   **zoo**
            plage   **parc**
            match   **piscine**
            jardin   **cirque**

    EXAMPLE: **Elle prend des photos du stade.**

1. **Je** _____.

2. **Paul** _____.

3. **Nous** _____.

4. **Anne et Lise** _____.

5. **Tu** _____.

6. **Les touristes** _____.

7. **Vous** _____.

8. **Marie-Claude** _____.

E. Some of your friends are talking about their summer plans. Express what they say by being emphatic.

    EXAMPLE: Il va aller en Europe.   **Lui, il va aller en Europe.**

   1. Il va travailler. _____

           _____

   2. Je vais étudier. _____

           _____

   3. Elles vont voyager. _____

           _____

   4. Tu vas aller en France. _____

           _____

   5. Elle va nager à la piscine. _____

           _____

   6. Vous allez jouer au tennis. _____

           _____

   7. Ils vont faire du cyclisme. _____

           _____

   8. Nous allons visiter des amis. _____

           _____

F. Some people can never find anything. Their friends help them out. Complete the sentences.

    EXAMPLE: (*her*)   **Ton livre est à côté d'elle.**

   1. (*us*) Ta blouse est chez _____.

   2. (*you, familiar*) Ton cahier est près de _____.

   3. (*me*) Tes disques sont en face de _____.

4. (*them, m.*) Ton frère est derrière _____.

5. (*you, formal*) Vos cassettes sont devant _____.

6. (*him*) Ton amie n'est pas loin de _____.

7. (*them, f*) Ton chien est avec _____.

8. (*her*) Tes chats vont vers _____.

G. Answer these questions about the students in your class by giving a one-word answer.

    EXAMPLE: (il)   Qui danse? **Lui.**

1. (ils) Qui parle français? _____.

2. (elle) Qui choisit la réponse correcte? _____.

3. (je) Qui travaille dur? _____.

4. (nous) Qui fait toujours attention? _____.

5. (elles) Qui ne comprend pas le professeur? _____.

6. (tu) Qui écoute toujours en classe? _____.

7. (il) Qui va fermer la porte? _____.

8. (vous) Qui prépare le dîner? _____.

H. Your friends are discussing what they want to see when they travel in and around Paris.

    EXAMPLE: (*I*)   Jean et **moi,** nous voulons voir la tour Eiffel.

1. (*they, m.*) Roger et _____, ils veulent voir les Invalides.

2. (*I*) Anne et _____, nous voulons voir le Louvre.

3. (*you, familiar*) Éric et _____, vous voulez voir Versailles.

4. (*she*) Lucien et _____, ils veulent voir le Sacré-Cœur.

5. (*we*) Claude et _____, nous voulons voir Notre-Dame.

6. (*he*) Pierre et _____, ils veulent voir les Tuileries.

7. (*they, f.*) Lisette et _____, elles veulent voir l'Arc de Triomphe.

8. (*you, formal*) Christophe et _____, vous voulez voir Montmartre.

I. Your pen pal is coming to visit from Martinique. Write a note in French telling him/her what things he/she can see in your city.

_____

_____

_____

_____

_____

_____

LA VIE PRATIQUE

Select the best answer to the question based on what you read and write its number in the space provided.

> **CIRQUE JOSEPH BOUGLIONE 95-Herblay.**
> Terrain de la MJC. 06.80.11.11.98. Pl: 10 à 25 € Mer,
> Dim 15h; Sam 15h, 20h30. Dernière le 20 juin:
> **Nouveau spectacle:** avec tigres, Cavaleries, chameaux,
> clowns, jongleurs, trapézistes, acrobates sur fil,
> magiciens...

What can you see in this Parisian circus?   _____

    1. jugglers
    2. high-wire acts
    3. clowns
    4. ferocious animals
    5. magicians
    6. all of the above

Leçon 24

A. Tell what these people are doing for the summer.

aller dans une colo   faire des excursions
faire un voyage   aller à la campagne
aller à la montagne   faire une randonnée
faire du camping   aller à la mer
rester à la maison   visiter un pays étranger

1. Nous _____.

2. Je _____.

3. Les filles _____.

4. Lucien _____.

5. Vous _____.

6. Tu _____.

7. Marie-Ange _____.

8. Robert et Marc _____.

9. Éric et moi _____.

10. Michel et toi _____.

B. Write a list of what you would like to do for the summer. Begin your sentence with: **Je voudrais** (*I would like*).

1. _____

2. _____

3. _____

4. _____

5. _____

C. Tell what each of these people receives as a birthday gift.

    EXAMPLE: Lucien/des livres   **Lucien reçoit des livres.**

1. Liliane/des vêtements

_____

2. je/de l'argent

_____

3. vous/des patins

_____

4. Paul et Georgette/des CD

_____

5. nous/des chemises

_____

6. Robert/un gant de base-ball

_____

7. tu/un vélo

_____

8. les filles/des cassettes

_____

D. Ask how much money these classmates usually get for their allowance.

    EXAMPLES: il/20   **Reçoit-il vingt dollars?**
               Pierre/16   **Est-ce que Pierre reçoit seize dollars?**

1. vous/$18 _____

2. Lucie/$10 _____

3. Odette et Paul/$15 _____

4. Hervé/$13 _____

5. tu/$12 _____

6. Thomas et Richard/$14 _____

E. Tell how these people spent Sunday afternoon.

    EXAMPLE: il/étudier   **Il a étudié.**

1. nous/marcher dans le parc

   _____

2. les garçons/jouer au football

   _____

3. je/travailler au supermarché

   _____

4. Alice/regarder la télévision

   _____

5. Régine et Suzanne/écouter des disques

   _____

6. tu/garder des enfants

   _____

7. Georges/visiter des amis

_____

8. vous/manger au restaurant

_____

F. You went to a party and your parents ask you what you and your friends did there. Write your parents' questions.

EXAMPLES: (vous)   **Avez-vous dansé?**
            (Jean)   **Jean-a-t-il dansé?**

1. Jacques _____

_____

2. elles _____

_____

3. tu _____

_____

4. les garçons _____

_____

5. ils _____

_____

6. vous _____

_____

G. Write a note about how well you worked last year and how you are looking forward to a fun summer vacation.

_____

_____

_____

_____

_____

_____

LA VIE PRATIQUE

Select the best answer to the question based on what you read and write its number in the space provided.

Les randonneurs d'Ile de France (RIF).
Cette association de randonnées pédestres pro-pose des sorties en groupe tous les jours. Un programme bimestriel vous donne le choix entre 300 sorties «à la carte» de tous niveaux propo-sées par une équipe de 150 animatrices et ani-mateurs. Venez nous rendre visite.

LES RANDONNEURS D'ILE DE FRANCE
organisent toute l'année et tous les jours
des randonnées pédestres accompagnées
http://assoc.wanadoo.fr/rif.rando
☎ **01 45 42 24 72**

Ces annonces intéressent les personnes qui _____

   1. habitent sur une île.
   2. nagent bien.
   3. aiment marcher.
   4. ont un ordinateur.